中国工程建设协会标准

活塞平衡式水泵控制阀应用技术规程

Technical specification for application of piston type balancing for pump control valve

CECS 460：2016

主编单位：北京市市政工程设计研究总院有限公司
广东永泉阀门科技有限公司
批准单位：中国工程建设标准化协会
施行日期：2017年3月1日

中国计划出版社

2016 北 京

中国工程建设协会标准
活塞平衡式水泵控制阀应用
技术规程
CECS 460：2016
☆
中国计划出版社出版发行
网址：www.jhpress.com
地址：北京市西城区木樨地北里甲11号国宏大厦C座3层
邮政编码：100038　电话：(010)63906433(发行部)
廊坊市海涛印刷有限公司印刷

850mm×1168mm　1/32　1.125印张　25千字
2017年3月第1版　2017年3月第1次印刷
印数1—1080册
☆
统一书号：155182·0048
定价：14.00元

中国工程建设标准化协会公告

第 270 号

关于发布《活塞平衡式水泵控制阀应用技术规程》的公告

根据中国工程建设标准化协会《关于印发〈2013 年第一批工程建设协会标准制订、修订计划〉的通知》（建标协字〔2013〕057 号）的要求，由北京市市政工程设计研究总院有限公司和广东永泉阀门科技有限公司等单位编制的《活塞平衡式水泵控制阀应用技术规程》，经本协会管道结构专业委员会组织审查，现批准发布，编号为 CECS 460：2016，自 2017 年 3 月 1 日起施行。

中国工程建设标准化协会

二〇一六年十二月十二日

前　言

根据中国工程建设标准化协会《关于印发〈2013年第一批工程建设协会标准制订、修订计划〉的通知》(建标协字〔2013〕057号)的要求，规程编制组在经过广泛调查研究，认真总结实践经验，参考有关国内外标准，并在广泛征求意见的基础上，制定本规程。

本规程共分7章，主要内容包括：总则、术语、基本规定、选用和设置、安装、调试和验收、运行和维护。

本规程由中国工程建设标准化协会管道结构专业委员会归口管理并负责解释(地址：北京市海淀区西直门北大街32号3号楼，邮政编码：100082)。在使用过程中如发现有需要修改或补充之处，请将意见和有关资料寄送解释单位。

主编单位：北京市市政工程设计研究总院有限公司
广东永泉阀门科技有限公司

参编单位：广州市设计院
天津市政设计研究院
济南水务集团
长沙二次供水有限公司
北京市永泉腾达阀门科技有限公司

主要起草人：李　艺　陈键明　黎　彪　杨　力　薛广进
林海燕　张　力　赵力军　刘天顺　陈　峰
李　群　许建丽　赵秋凤

主要审查人：邓志光　谢仁杰　王如华　姜立安　程宏伟
曹　文　徐　凤　王耀文　何文杰

目　次

Contents

1 总 则

1.0.1 为了在泵站或泵房建设和运行中正确选用、设置、安装、调试、验收、运行和维护活塞平衡式水泵控制阀，做到安全可靠、经济合理、技术先进、使用方便，制定本规程。

1.0.2 本规程适用于新建、扩建和改建的城镇给水排水、建筑给水排水、工业给水排水、水利及农业灌溉等工程的泵站或泵房中活塞平衡式水泵控制阀的设置、安装、验收、运行和维护。

1.0.3 活塞平衡式水泵控制阀的选用和设置、安装、调试和验收、运行和维护，除应符合本规程的规定外，尚应符合国家现行有关标准的规定。

2 术　　语

2.0.1 活塞平衡式水泵控制阀　piston type balancing for pump control valve

采用活塞式以气体驱动，阀体结构为平衡直流式，具有截止、止回和流量调节功能，能在关阀状态下启动水泵和防止停泵产生水锤的控制阀。

3 基本规定

3.0.1 符合下列情况的泵站或泵房，应设置活塞平衡式水泵控制阀：

1 需要先关闭阀门再启动（停止）水泵或先开启阀门再启动水泵时；

2 需要防止介质倒流时；

3 需要消除水锤危害时；

4 需要减少水泵管路系统水头损失以提高水泵运行效率时。

3.0.2 活塞平衡式水泵控制阀的制造、试验和检验，应符合现行行业标准《活塞平衡式水泵控制阀》CJ/T 373 的有关规定。

3.0.3 活塞平衡式水泵控制阀的介质应为清水，不得用于含砂量大的介质。

4 选用和设置

4.0.1 活塞平衡式水泵控制阀的选用应符合下列规定：

1 活塞平衡式水泵控制阀的公称尺寸，应根据水泵出水管道设计流速、流量和水头损失经计算选用，水头损失量可按厂家提供的流量和水头损失曲线选用；

2 活塞平衡式水泵控制阀的公称压力等级，应按输（配）水系统水锤分析计算结果的要求确定，且不应低于水泵零流量工作时的压力值。

4.0.2 用于热水、空调等系统的活塞平衡式水泵控制阀，选用的零部件和涂层的材料性能应满足相应工作介质温度的要求。

4.0.3 活塞平衡式水泵控制阀应设置在单向流动的管道系统上，每台水泵出口处应单独设置活塞平衡式水泵控制阀。

4.0.4 活塞平衡式水泵控制阀后应设置检修阀门。

4.0.5 活塞平衡式水泵控制阀前或阀后应设置松套传力补偿接头。

4.0.6 活塞平衡式水泵控制阀的设置高度及预留空间应方便安装、运行和维护。

4.0.7 设置活塞平衡式水泵控制阀的水泵装置，应配置驱动气体气源，气源可为压缩空气站或独立空气压缩机。

4.0.8 驱动气体气量及质量应符合阀门的质量要求，驱动气体输送管道在活塞平衡式水泵控制阀控制管路系统进气口处应设置空气过滤器、油水分离器和压力表，过滤器过滤网孔径应小于3μm，根据环境条件可设置空气干燥机；气源压力应保证活塞平衡式水泵控制阀控制管路系统进口处压力达到0.5MPa～0.8MPa。

4.0.9 气源为独立空气压缩机时，空气压缩机所配的储气罐容积应满足所有工作的活塞平衡式水泵控制阀连续5次启闭的总用气量;空气压缩机应能保证10min～20min恢复储气罐的额定压力;应根据水泵装置的重要程度及活塞平衡式水泵控制阀的数量,设置1台～2台备用空气压缩机。

4.0.10 驱动气体输送管道宜采用不锈钢管或铜管,并应进行合理布置、正确固定及醒目标识。

4.0.11 活塞平衡式水泵控制阀下应设置基座或支架,基座和支架的形式和尺寸应满足活塞平衡式水泵控制阀的安装和使用要求。

4.0.12 活塞平衡式水泵控制阀应配套设置就地控制箱,控制箱的形式、规格和布置方式应满足安全要求并方便接线操作。

4.0.13 活塞平衡式水泵控制阀和水泵间应正确建立连接与控制关系,并应符合下列规定:

1 应预先设置控制系统电缆线及活塞平衡式水泵控制阀就地控制箱与水泵机组远程控制之间的连接电缆线;

2 电缆线的型号、规格和布置方式应满足使用和安全要求并方便接线操作;

3 当采用埋地管布设时,应预留备用线。

5 安　　装

5.0.1 安装前应检查活塞平衡式水泵控制阀内腔及前后管道内壁，不得留有焊渣、粘附脏物和杂物等。橡胶密封圈和不锈钢阀座密封副等部位不得有破损、异物、变形、错位。

5.0.2 活塞平衡式水泵控制阀在搬运、吊装时不得利用阀门控制管承吊，以免损伤控制系统。

5.0.3 活塞平衡式水泵控制阀宜水平安装，阀盖不应朝下。

5.0.4 阀体上的流向箭头应与输送介质的流向一致。

5.0.5 活塞平衡式水泵控制阀的全部重量应作用在基座或支架上，阀体应与基座或支架接触良好，并完全固定在基座或支架上。

5.0.6 活塞平衡式水泵控制阀的进出口应与所连接管道同轴安装；夹紧时，应对称、均匀地拧紧法兰连接螺栓。

5.0.7 活塞平衡式水泵控制阀的就地控制箱，应安装在活塞平衡式水泵控制阀的附近，安装的位置应方便水泵和阀门的就地控制操作。

6 调试和验收

6.0.1 活塞平衡式水泵控制阀安装完毕后应进行系统调试，调试前应认真阅读产品使用说明书，熟悉活塞平衡式水泵控制阀的工作原理、操作规程和注意事项。

6.0.2 调试前应检查下列事项：

1 活塞平衡式水泵控制阀的设置和安装应正确；

2 阀门前后法兰连接螺栓螺母、地脚螺栓螺母应紧固；

3 活塞平衡式水泵控制阀及前后管道、驱动气体输送管道及控制管路系统管道等设备和配件应齐全完好，连接可靠，功能指标应符合设计要求；

4 驱动气体输送管道及控制管路系统管道应洁净，气密性良好；

5 电磁换向阀、行程开关、就地控制箱和远程控制电路应接线正确、电缆布设合理；

6 控制管路系统管道上的手动换向阀应开启，其他装置均应处于正常工作状态。

6.0.3 调试应按下列步骤进行：

1 启动压缩空气站或空气压缩机，使压缩空气站或储气罐的气压和供气量达到使用要求；

2 开启压缩空气站或储气罐到控制系统管道上的气源阀门，为控制系统提供压力气源；

3 开启水泵进水管上的阀门给水泵及活塞平衡式水泵控制阀注水；

4 开启活塞平衡式水泵控制阀阀体上的球阀排气，排气完毕后关闭球阀；

5 关闭压缩空气控制管道系统上的手动换向阀，转换到电磁换向阀工作状态；

6 调整安装在电磁换向阀排气口上的针形调节阀的开度，使其处于小开度状态；

7 打开就地控制箱电源开关，接通电源；

8 调整安装在就地控制箱中的时间继电器，设定活塞平衡式水泵控制阀延时开启的时间；

9 将就地控制箱上的水泵启停转换开关转到手动控制挡；

10 按下水泵启动按钮，启动水泵，检查活塞平衡式水泵控制阀运行状态，直到阀门缓慢开启；可调整时间继电器设定值和针形调节阀开度达到适当的开阀时间；

11 按下水泵停止按钮，活塞平衡式水泵控制阀先快后慢逐渐关闭，完全关闭后水泵应断电停机；可调整时间继电器设定值和针形调节阀开度达到适当的关阀时间；

12 当就地手动控制调试完毕后，把就地控制箱上的水泵启停转换开关转到自动控制挡，通过远程控制测试水泵与控制阀的自动联动状况，确认满足运行要求后，调试结束。

6.0.4 调试完毕后，应符合下列验收规定：

1 启动和停止水泵时，不应产生明显机械振动和噪声；

2 停止水泵时，活塞平衡式水泵控制阀快关和慢关时间、水泵倒转速度、超过额定转速的时间均应达到供水管道系统要求。

7 运行和维护

7.0.1 活塞平衡式水泵控制阀运行时，应符合下列规定：

1 压缩空气站或空气压缩机应处于通电待机状态，当储气罐气压低于0.5MPa时，空气压缩机应自动启动补气；当储气罐气压达到0.8MPa时，空气压缩机应自动停止补气；

2 储气罐至控制管道系统上的阀门应开启；当采用就地控制箱通过电磁换向阀进行控制时，电磁换向阀进气口、电磁换向阀通向活塞缸进气口的阀门应开启，手动换向阀进气口的阀门应关闭，手动换向阀应处于关闭状态；当采用手动换向阀进行控制时，电磁换向阀进气口、电磁换向阀通向活塞缸进气口的阀门应关闭，手动换向阀进气口的阀门应开启；

3 就地控制箱应处于通电状态；当采用就地控制箱上的手动控制时，就地控制箱上的转换开关应转到手动控制挡；当采用水泵机组的远程控制时，就地控制箱上的转换开关应转到自动控制挡。

7.0.2 在使用活塞平衡式水泵控制阀的过程中，应对其进行日常和定期检查维护，定期更换易损件，检查维护应包括下列内容：

1 主阀部分的维护应包括检查、紧固各处连接螺栓和螺塞；

2 压缩空气控制管路部分的维护应包括下列内容：

1）检查、紧固压缩空气控制管路各连接部位接头；

2）排除气站或空气压缩机的储气罐中的积水；

3）检查、清洗或更换空气过滤器过滤网；

4）当安装有减压阀时，应检查减压阀和压力表，调整减压阀的出口压力，使出口压力符合使用要求。

3 电气控制线路部分的维护应包括下列内容：

1）检查电磁换向阀和行程开关上的电缆线接头、插头和插座，应保持接触良好，绝缘层和防护层应完整有效；

2）检查活塞平衡式水泵控制阀与就地控制箱、就地控制箱与水泵机组远程控制之间的电缆连接线。

本规程用词说明

1 为便于在执行本规程条文时区别对待，对要求严格程度不同的用词说明如下：

1）表示很严格，非这样做不可的：

正面词采用“必须”，反面词采用“严禁”；

2）表示严格，在正常情况下均应这样做的：

正面词采用“应”，反面词采用“不应”或“不得”；

3）表示允许稍有选择，在条件许可时首先应这样做的：

正面词采用“宜”，反面词采用“不宜”；

4）表示有选择，在一定条件下可以这样做的，采用“可”。

2 条文中指明应按其他有关标准执行的写法为：“应符合……的规定”或“应按……执行”。

引用标准名录

《活塞平衡式水泵控制阀》CJ/T 373

中国工程建设协会标准

活塞平衡式水泵控制阀应用技术规程

CECS 460：2016

条文说明

目　　次

1 总 则

1.0.1 活塞平衡式水泵控制阀是一种新型的机电一体化阀门，其流阻小、自动化程度高、节能性好，能在关闭阀状态下启动或停止水泵，具有快慢两阶段关闭功能，可以有效地消除和减少水锤，已经在各种泵站或泵房中大量采用。

该阀采用平衡直流式阀体结构，阀门启闭性能得到改善，阀门压力损失和能量损耗大幅度减小；该阀采用压缩空气作为驱动介质，而不使用水泵的工作介质，因此阀门启闭操作不损耗水泵机组的能量，当阀前压力高于阀后压力、阀前压力与阀后压力差为零或阀后压力高于阀前压力时均可正常启闭。安装使用该阀后的水泵机组，电能消耗减少，效率提高。

为了在泵站或泵房中正确选用、设置、安装、调试、验收和运行活塞平衡式水泵控制阀，保证设计质量，在国民经济建设中更好地发挥作用，按照安全可靠、经济合理、技术先进、使用和维护方便的原则，根据活塞平衡式水泵控制阀的工作原理和性能特点，以及各种水泵对其出口端控制阀门的性能要求，在收集各地安装使用活塞平衡式水泵控制阀过程中所反映的实际情况和总结不同工程实践经验基础上制定本规程，以供工程建设设计、施工和使用单位参考使用。

1.0.2 国内的水泵装置类型多、数量大、控制方式多样，对水泵出口端控制阀门的要求不尽相同，本规程只针对水泵出口采用活塞平衡式水泵控制阀的水泵装置进行规范，不涉及采用其他类型的水泵出口控制阀门的情形。

目前国内正在使用的各种水泵装置中，不少水泵出口端采用的控制阀门，流阻大、能耗高、工作效率低。采用技术先进、节能环保、新型的活塞平衡式水泵控制阀代替旧的水泵控制阀门，是与国家所倡导的创造节约型和环境友好型社会的主题相适应的；由于活塞平衡式水泵控制阀可大幅度提高水泵的工作效率，因此在新建和扩建的工程中宜大量采用。

1.0.3 活塞平衡式水泵控制阀是泵站中的重要设备，虽然该阀在水泵的控制中有其优势，但在泵站或泵房工程建设中毕竟不是内容的全部，因此，采用活塞平衡式水泵控制阀的工程，其设计、施工和验收，除需满足本规程的有关规定外，还应符合工程建设以及所选用的水力机械产品现行的国家标准和行业标准的有关规定。如泵站的设计应符合现行国家标准《泵站设计规范》GB 50265 的有关规定，活塞平衡式水泵控制阀应符合现行行业标准《活塞平衡式水泵控制阀》CJ/T 373 的有关规定，水泵和其他形式的阀门等水力机械产品的设计、制造和验收等也有相应的国家标准或行业标准，这些标准同样在采用活塞平衡式水泵控制阀的泵站工程中适用。

2 术　　语

2.0.1　活塞平衡式水泵控制阀是一种新型的主要使用在水泵出口的控制阀门，它与传统的水泵控制阀的不同之处在于活塞平衡式水泵控制阀采用压缩空气作为驱动介质而非水泵输送介质，同时阀瓣采用平衡原理，减少了阀瓣启闭时的轴向力，更容易启闭。活塞平衡式水泵控制阀可关阀启泵，也可开阀启泵，具有快、慢两阶段关闭及截止、止回功能，能满足各种水泵的启闭要求；通过自动控制系统可实现泵和阀自动化运行控制；可根据水泵管道系统输送介质的实际情况，调整开阀和关阀的速度快慢，减少开阀和停泵时管道系统的压力波动和水锤冲击，保障管道系统的运行安全。

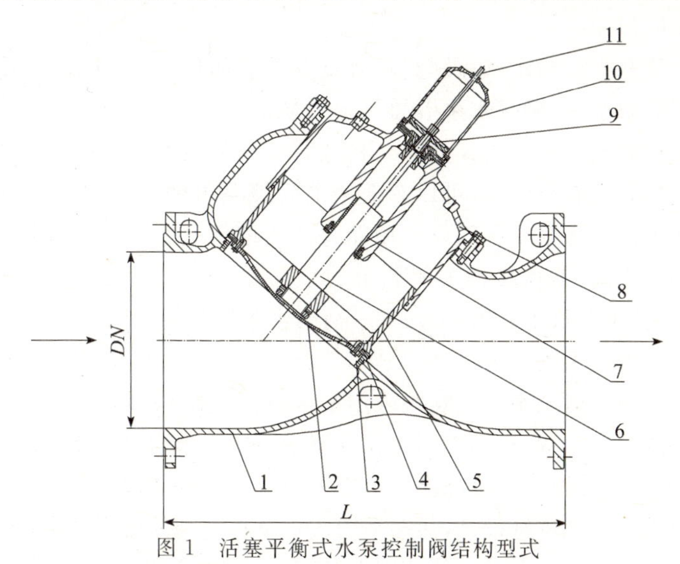

图 1　活塞平衡式水泵控制阀结构型式

1—阀体；2—下压盖；3—阀座；4—密封圈；5—内套；6—阀轴；7—阀轴套；8—阀盖；9—活塞；10—活塞缸；11—开度指示杆

3 基本规定

3.0.1 活塞平衡式水泵控制阀可满足离心水泵先关闭出口阀门再启动泵的要求，其目的是为了减小水泵的启动转矩，从而减小水泵配套电机的启动电流，减少水泵启动时对电网电压的影响。活塞平衡式水泵控制阀可以满足离心水泵先关闭出口阀门再停止水泵的要求，可以有效地消除停止水泵产生的水锤。轴流泵和混流泵需要先开阀再启泵，活塞平衡式水泵控制阀同样能满足要求。

水泵管道出口端需安装止回阀，水泵停止工作后防止介质倒流。活塞平衡式水泵控制阀在水泵断电后，其阀瓣和活塞在压缩空气的驱动下能自动关闭，从而阻止水泵输送介质的倒流，起到止回阀的作用。

活塞平衡式水泵控制阀具有良好的启闭性能，能消除开阀水锤和停泵水锤，确保水泵装置管道系统的运行安全。活塞平衡式水泵控制阀采用平衡式整体结构代替传统控制阀的双阀瓣结构，可做到先关阀再停泵，可以有效地消除停泵水锤；当水泵断电时，活塞平衡式水泵控制阀可利用储存的压缩空气，先快速关闭大部分阀门流道，然后缓慢关闭剩余的小部分阀门流道，消除水锤危害，保护水泵机组。因此，活塞平衡式水泵控制阀适用于需要消除水锤危害的工程。

活塞平衡式水泵控制阀采用平衡直流式结构，阀座上无阻碍介质流动的结构，也不采用水泵输送介质作为阀瓣的启闭驱动介质，不会额外增加水泵能耗。由于采用流线型的阀体结构，按照流体力学的原理进行设计，活塞平衡式水泵控制阀的流阻很小，水泵出口流速为 2 m/s 的经济流速时，其压力损失小于 0.005MPa，优于传统水泵控制阀。因此，活塞平衡式水泵控制阀适用于需减少压力损失以提高水泵运行效率的工程。

测试活塞平衡式水泵控制阀的流阻时，可在活塞平衡式水泵控制阀的进出水口端设置有2倍管径长度或不少于200 mm长度的直管段，直管段应分别设置压力测试口，测试口上设置球阀。

3.0.2 现行行业标准《活塞平衡式水泵控制阀》CJ/T 373于2011年8月9日发布，2012年2月1日开始实施，该标准规定了活塞平衡式水泵控制阀的术语和定义、结构形式、产品型号、零件材料、要求、试验方法、检测规则、标志、包装、运输和贮存等内容。因此，活塞平衡式水泵控制阀产品应符合现行行业标准《活塞平衡式水泵控制阀》CJ/T 373的有关规定，由专业的阀门生产厂生产和供应，产品质量应经过有关的质量监督机构检验，并且有证明其符合现行行业标准《活塞平衡式水泵控制阀》CJ/T 373的文件。

3.0.3 活塞平衡式水泵控制阀的适用介质为清水，不适用于含砂量大的介质，是因为介质含砂量大时，容易在阀门后造成泥砂淤积，影响阀门启闭。

4　选用和设置

4.0.1　本条是关于活塞平衡式水泵控制阀的选用。

1　活塞平衡式水泵控制阀主要安装在水泵出口管道上，根据现行国家标准《泵站设计规范》GB 50265—2010 中第 9.3.1 条的规定，离心泵或小口径轴流泵、混流泵的出水管道设计流速宜取 2.0m/s～3.0m/s。而根据现行国家标准《室外给水设计规范》GB 50013—2006 中第 6.3.1 条的规定，出水管直径小于 250mm 时，水泵出水管的流速为 1.5m/s～2.0m/s；出水管直径为 250mm～1000mm 时，水泵出水管的流速为 2.0m/s～2.5m/s；出水管直径大于 1000mm 时，水泵出水管的流速为 2.0m/s～3.0m/s。因此，一般水泵的出口流速为1.5m/s～3.0m/s。但在一些大流量的水泵装置中，其出口流速往往大于 3m/s，所以设计中选用活塞平衡式水泵控制阀的公称尺寸时，应根据水泵出水管道的设计流速、流量和水头损失经计算选定。由于不同厂家设计生产的活塞平衡式水泵控制阀的水头损失可能不同，因此计算管道的水头损失时，活塞平衡式水泵控制阀的水头损失量可参考厂家提供的流量和水头损失曲线选用。

2　活塞平衡式水泵控制阀的公称压力等级的选用应考虑水泵运行的各种工况，包括关阀启泵以及水锤发生时的工况。输（配）水系统发生水锤时，会产生较大的压力波动，且离心泵关阀启动时的扬程，即零流量时的扬程一般为设计扬程的 1.3 倍～1.4 倍，因此活塞平衡式水泵控制阀的公称压力等级的选用，应按输（配）水管道系统水锤分析计算结果的要求来确定，且不应低于离心泵零流量工作时的压力值。对于轴流泵或混流泵等需要先开阀后启泵的情况，可不需考虑零流量工况时的压力值。

4.0.2 活塞平衡式水泵控制阀主要适用介质是常温清水，但更换橡胶密封件等内件和涂层材料后，也可使用在热水和空调系统中。更换后的内件和涂层材料应能承受工作介质的腐蚀和温度作用，而不影响其使用性能和寿命。

4.0.3 活塞平衡式水泵控制阀只能设置在介质单向流动的管道系统上，介质流向应与活塞平衡式水泵控制阀阀体上的流向箭头所指示的方向一致。如果相反方向设置，则活塞平衡式水泵控制阀的密封性能、动作性能、流阻系数等都将发生改变。每台水泵出口处应单独设置一台活塞平衡式水泵控制阀，禁止一台活塞平衡式水泵控制阀控制多台水泵或多台活塞平衡式水泵控制阀控制一台水泵。

4.0.4 为了方便检修活塞平衡式水泵控制阀、水泵机组、水泵前的进水管道和阀门等，应在活塞平衡式水泵控制阀后设置检修阀门。检修时，关闭检修阀，可防止供水管道内的介质倒流。检修阀门可采用闸阀或蝶阀。为了减少流阻，降低供水管道系统的能耗，提高水泵的工作效率，*DN*600 以下的检修阀门，宜优先采用闸阀；*DN*700 以上的检修阀门，根据安装检修阀门处的场地空间条件，可采用闸阀或蝶阀。

4.0.5 为方便安装和拆卸活塞平衡式水泵控制阀、水泵、管道、检修阀等，补偿管路的制造和安装误差，应设置管路松套补偿接头。管路补偿接头应采用不能吸收管路轴向位移的松套传力补偿接头，以防止管路系统压力波动时水泵、阀门、管道等产生轴向位移。根据水泵装置的空间条件和泵管系统的布置方式，管路松套传力补偿接头可设置在活塞平衡式水泵控制阀前或阀后。

4.0.6 活塞平衡式水泵控制阀的设置高度、与其他物体和设施的距离，应方便工作人员对其进行安装、调试、运行、观察、维护和保养的操作；当选用大口径的活塞平衡式水泵控制阀时，还应设置方便工作人员操作和维护的通道、平台等设施。

4.0.7 活塞平衡式水泵控制阀的启闭由压缩空气提供驱动动力，

因此安装活塞平衡式水泵控制阀的水泵装置，应配置驱动气体气源，驱动气体气源为压缩空气站或独立的空气压缩机。

4.0.8 不同阀门供应商设计生产的活塞平衡式水泵控制阀的技术参数要求可能不同，为保证活塞平衡式水泵控制阀长期正常工作，驱动气体气源提供的气体气量及质量应满足活塞平衡式水泵控制阀的设计使用要求，即气体气量及质量应满足阀门供应商的要求。压缩空气必须经过过滤后，才能进入活塞平衡式水泵控制阀的控制管路系统。为保证驱动气体的质量，活塞平衡式水泵控制阀控制管路系统进气口处应设置压缩空气过滤器、油水分离器和压力表。如果气源周围的环境湿度大，为了确保压缩空气中析出的水影响控制管路系统和阀门启闭动作的稳定性，可设置空气干燥机消除压缩空气中的水分。压力表应设置在空气过滤器、油水分离器和干燥机后，目的是为了便于观察气源中的压缩空气通过过滤器、油水分离器和干燥机后压力是否符合设计使用要求，以确定是否需要对过滤器、油水分离器和干燥机进行维护清理。气源压力应保证活塞平衡式水泵控制阀控制管路系统进口处压力达到 0.5MPa～0.8MPa。为了控制压缩空气中的杂质尺寸，防止大尺寸杂质影响压缩空气质量，规定过滤网孔径应小于 3 μm。

活塞平衡式水泵控制阀设置见图 2。

4.0.9 气源为独立空气压缩机时，为保证活塞平衡式水泵控制阀在水泵装置失电的情况下也能进行可靠的启闭动作，要求所配气源的储气罐容量应能满足所有工作的活塞平衡式水泵控制阀都连续 5 次启闭的总用气量。为了保证驱动气体能及时得到补充，规定空气压缩机应具有在 10min～20min 内恢复驱动气体储气罐的额定压力的能力，且当气压低于设定气压时会及时自动恢复补气。同时应根据水泵装置的重要程度及活塞平衡式水泵控制阀的数量，设置 1 台～2 台备用空气压缩机，当常用的空气压缩机出现故障时，可及时启用备用的空气压缩机，用以保证驱动气体气源始终有满足要求的驱动气体提供。根据活塞平衡式水泵控制阀的活塞缸容积的大小及空气压缩机和储气罐的性能，可采用 1 台空气压缩机给 1 台～4 台活塞平衡式水泵控制阀提供压缩空气。

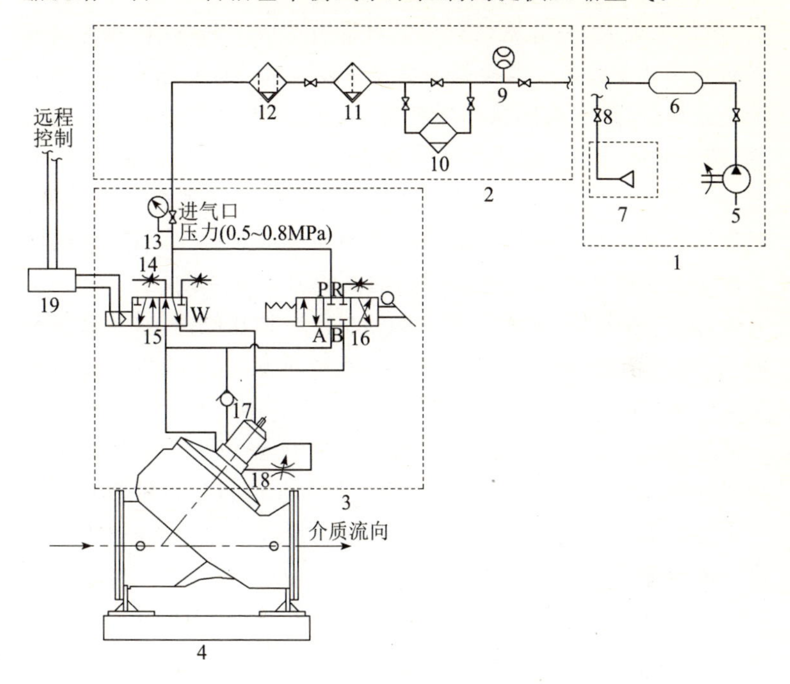

图 2　活塞平衡式水泵控制阀设置图

1—气源系统；2—驱动气体输送管道；3—控制管路系统；4—活塞平衡式水泵控制阀；
5—独立空气压缩机；6—储气罐；7—压缩空气站；8—手动球阀；9—流量计；
10—空气干燥机；11—空气过滤器；12—油水分离器；13—压力表；
14—排气口调节阀；15—二位五通电磁换向阀；16—手动换向阀；
17—单向阀；18—调节阀；19—就地控制箱

4.0.10　为了保证压缩空气输送管道的使用寿命，宜采用耐腐蚀性和机械强度较好的不锈钢管或铜管。驱动气体通过气体输送管道传输到活塞平衡式水泵控制阀的活塞缸，驱动活塞做启闭动作，因此压缩空气输送管道应合理布置、正确固定和醒目标识，管道的公称尺寸和公称压力应满足所安装的活塞平衡式水泵控制阀的用气要求。根据工程实际需求，管道可采用埋地布设或架空布设；管道的布置和引出方式还应方便与控制管路系统的连接。

4.0.11 活塞平衡式水泵控制阀的质量一般较大，阀内充满介质后，质量会更大，为避免悬空重量对管道造成不利影响，应为阀体设置基座或支架承受其重量。活塞平衡式水泵控制阀安装在水泵的出水口管道上，关阀状态下启动(停止)水泵，可能会产生水力波动、造成泵阀管道系统内流量和压力变化，为了避免因流量和压力波动变化造成阀门振动和位移，应设置基座或支架固定其位置。基座和支架的形式和尺寸应根据管道系统的布设方式进行设计，且应满足活塞平衡式水泵控制阀的安装和使用要求。

4.0.12 活塞平衡式水泵控制阀是机电一体化阀门，水泵装置与阀门通过就地控制箱、电磁换向阀、行程开关、电缆线等建立机电联系。因此，每设置一台活塞平衡式水泵控制阀，应配套设置一个控制电箱。控制箱通常设置在水泵机组附近，以方便工作人员就地操作和调试。控制电箱一般由阀门供应方提供，也可由阀门使用方根据需要自制或订制。控制电箱的形式、规格和布置方式应满足安全要求并方便接线操作。

4.0.13 活塞平衡式水泵控制阀与水泵之间通过电缆线建立机电联系，实现机电一体化控制，因此为了正确建立水泵及阀门之间的连接及控制关系，应预先设置控制系统电缆线及就地控制箱与水泵机组远程控制之间的连接电缆线。电缆线的型号、规格和布置方式应满足使用和安全要求且方便接线操作；当采用埋地管布设时，应预留备用线。